KU-250-409

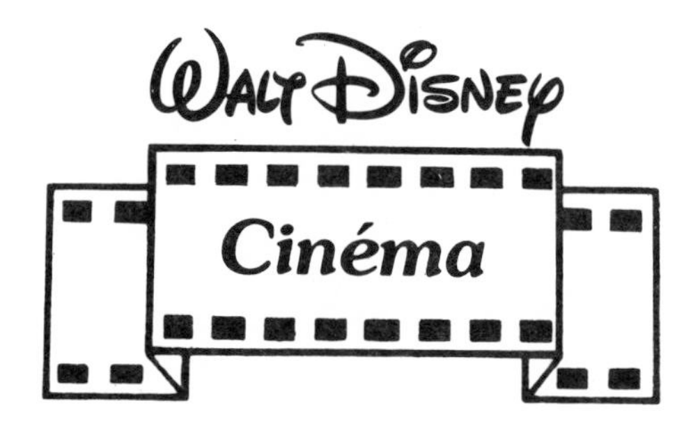

Dans la même collection :

Le livre de la jungle
Bambi
Blanche-Neige
Pinocchio
Rox et Rouky
Dumbo
Les Aristochats
La Belle et le Clochard
Oliver & Compagnie
La Belle au Bois dormant
Winnie l'ourson
Alice au Pays des merveilles
Cendrillon
La Petite Sirène
Peter Pan
Bernard et Bianca au Pays des kangourous
Le Prince et le Pauvre
Les 101 Dalmatiens
Robin des Bois
La Belle et la Bête
Merlin l'Enchanteur
Aladdin
Le Roi Lion
Le retour de Jafar
Pocahontas, une légende indienne

Ont collaboré à cet ouvrage :
Véronique de Naurois pour le texte
et l'Atelier Philippe Harchy pour les illustrations

Walt Disney

ALADDIN

Disney
HACHETTE ÉDITION

Cette nuit-là, dans le désert, un homme à cheval attend.
C'est Jafar, le grand vizir, un personnage cruel, sombre et amer.
Sur son épaule, lago, son perroquet, parle avec insolence :
– Croooc ! Drôlement en retard, ton bonhomme, Jafar !
Une silhouette s'approche...
– Tenez, Maître, voici la moitié du scarabée d'or !

D’un geste avide, Jafar saisit l’objet, puis, sortant de sa manche la moitié manquante, il reconstitue le scarabée.
– Ça y est ! clame-t-il avec un rire sardonique, voici enfin venue l’heure de la toute-puissance !
À peine a-t-il parlé que la terre se met à trembler. Deux feux s’allument au flanc d’une dune et, dans un rugissement de tonnerre, un monstre de sable et de pierre surgit des entrailles du désert.

Devant les yeux éblouis de Jafar, une tête de tigre apparaît, la gueule grande ouverte sur un gouffre.
– La Caverne aux Merveilles ! murmure-t-il dans un souffle.
Puis, reprenant ses esprits, il ordonne à l'homme :
– Va, les trésors sont à toi, mais rapporte-moi la lampe.

Une voix puissante
retentit alors :
– Qui vient troubler
mon sommeil ?
L'homme avance,
tremblant de peur :
– C'est moi, mon nom
est Gazeem !

La voix résonne à nouveau :
– Sache qu'une seule personne peut entrer ici, un être au cœur pur comme le diamant.
– Pur comme le diamant ? murmure Gazeem, terrorisé.
Trop tard, le Tigre referme ses mâchoires, puis s'enfonce dans les sables. Jafar, stupéfait, s'écrie :
– Un être au cœur pur comme le diamant ! Je le trouverai !
– Je te le souhaite, sinon, adieu tes rêves de puissance et de gloire ! ricane le méchant Iago.

Plus tard après ces étranges événements,
dans la ville d'Agrabah, la capitale du royaume,
on entend une cavalcade, des menaces et des cris :

– Halte ! Gredin ! Voleur ! Si je t'attrape, gare à toi !
Le gredin, c'est Aladdin qui ne tient pas à se faire couper les oreilles. Sur son épaule, Abu, un petit singe, se cramponne du mieux qu'il peut.
– Tu as mal au cœur, mon pauvre Abu, accroche-toi bien !
Les gardes du palais sont à leurs trousses, et Aladdin a une fameuse frousse d'être capturé… Tout ça pour un pain rassis !
Au moment où il va être saisi, Aladdin avise une terrasse ;
il grimpe le long du mur, puis saute et passe. Il a disparu.

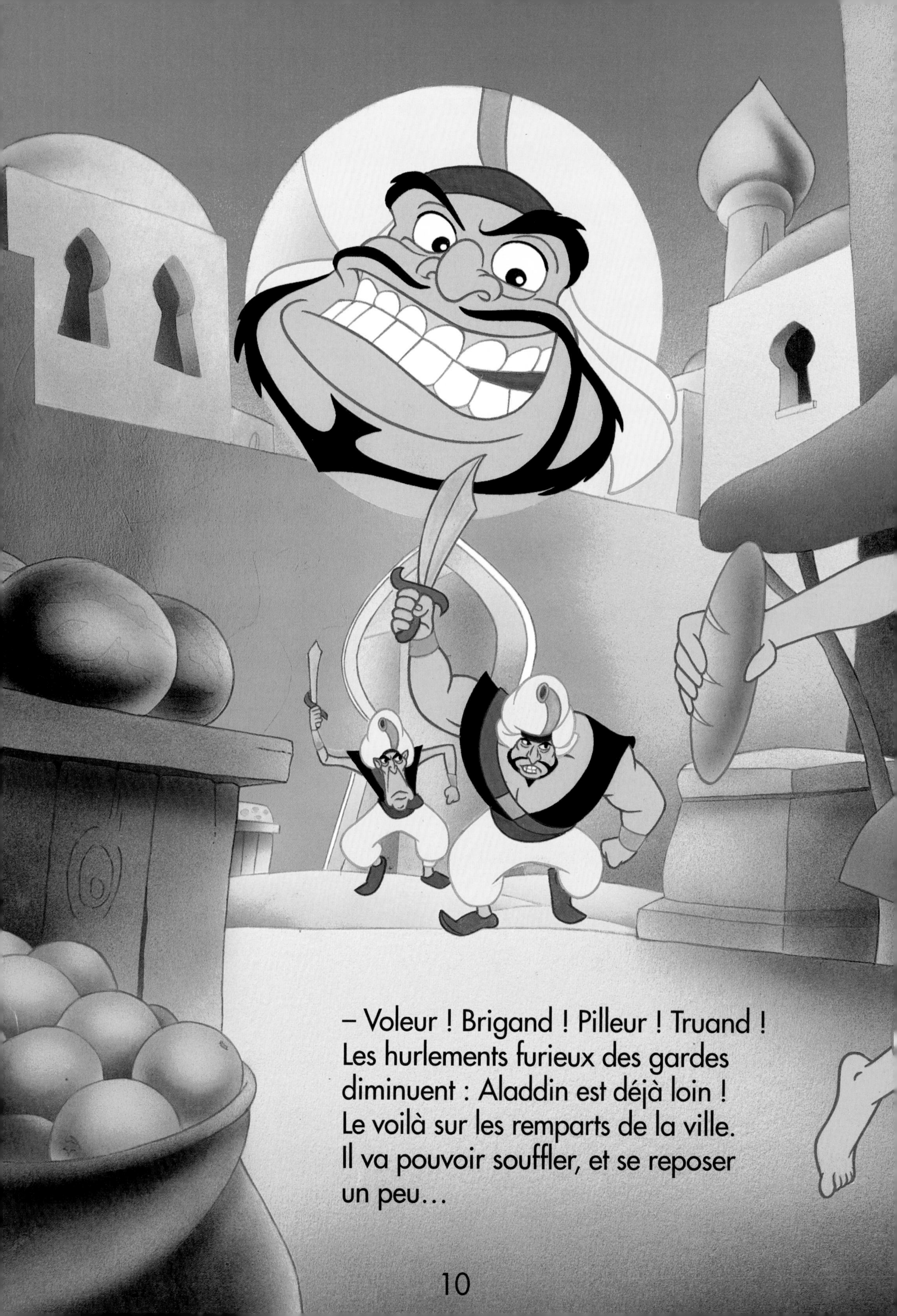

– Voleur ! Brigand ! Pilleur ! Truand !
Les hurlements furieux des gardes diminuent : Aladdin est déjà loin !
Le voilà sur les remparts de la ville.
Il va pouvoir souffler, et se reposer un peu…

– Pfff ! Ah ! là là ! Mon pauvre Abu, que de bruit pour un bout de pain ! Est-ce ma faute si nous avons faim ? Il faut bien se débrouiller pour vivre et pour manger…

Après s'être restaurés, Abu et Aladdin sont de nouveau sur pied. Soudain, un cavalier, surgit à vive allure. Aladdin bascule dans la boue du ruisseau.

– Place ! Hors de mon chemin, rat des rues, vermisseau ! Laisse passer le prince Achmed, le prétendant de la princesse Jasmine !

– Rat des rues ! Vermisseau, toi-même ! répond en criant Aladdin. Puis il rentre chez lui, rêvant à la belle Princesse.

Dans le lointain, Aladdin aperçoit le palais, étincelant dans le soleil couchant… Alors il se jure qu'un jour, lui aussi, il sera richement vêtu et aura beaucoup d'argent.

Au palais, le Sultan est très en colère :
– Par mon sabre ! dit-il à sa fille la princesse Jasmine, surveille un peu ton tigre Rajah !…

… Il a arraché le fond de culotte du prince Achmed !
Saperlipopette ! Ton fiancé a pris la poudre d'escampette !
Tu sais pourtant, ma fille, que tu dois te marier avant ton prochain anniversaire.
Mais Jasmine n'en a rien à faire. Elle ne veut épouser que l'homme qu'elle aimera. C'est comme ça !

À peine Jasmine s'est-elle retirée, que la figure hypocrite du grand vizir apparaît.
– Votre Majesté, dit-il, j'ai la solution à votre problème. Pour cela, il me faut le Diamant bleu que vous portez en bague.
– Tu n'y penses pas, Jafar, c'est un bijou de famille !
– Jussstement, Sssublime Ssssultan, reprend le grand vizir en brandissant sa canne-serpent au pouvoir hypnotique.

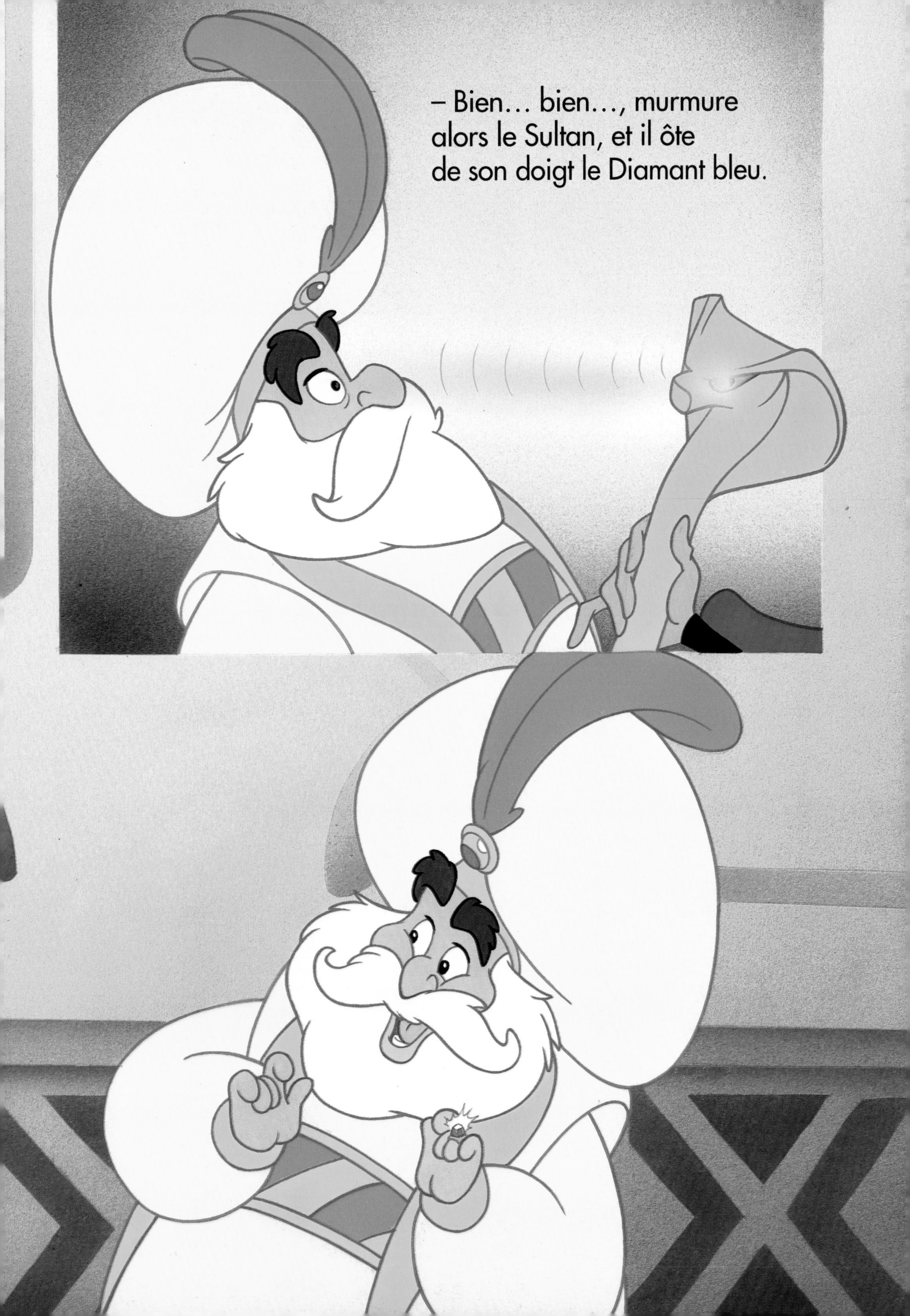

– Bien… bien…, murmure
alors le Sultan, et il ôte
de son doigt le Diamant bleu.

Dès qu'ils sont seuls, Jafar et Iago savourent leur triomphe.
– Creeeek ! ricane l'insolent Iago, Jafar, tu es le plus faux jeton, le plus cafard, le plus malfaisant des courtisans ! Vrai, quand tu as hypnotisé le Sultan, moi-même, j'ai failli tomber !
– Ah, Iago ! répond le grand vizir, grâce à ce fabuleux bijou, je saurai de façon magique qui est l'homme au cœur pur comme un diamant ! Alors, je l'enverrai chercher la lampe au fond de la Caverne aux Merveilles et je deviendrai, enfin, sultan à la place du Sultan !

Pendant ce temps, Jasmine dit adieu à son fidèle ami le tigre.
– Je dois m'enfuir, Rajah, car je ne veux pas épouser un inconnu que je n'aime pas… Je ne connais rien du monde, hormis le palais de mon père… Je veux vivre par moi-même, voir autre chose, et choisir un mari selon mon cœur. Allons, ne sois pas triste… Et rappelle-toi le fond de culotte du prince Achmed… C'était drôle, n'est-ce pas ?
Rajah pousse un gros soupir en grognant doucement.

Jasmine lui caresse le menton et ajoute :
– Tu me manqueras, tu sais…
Puis, franchissant le mur du jardin, elle disparaît…

Jasmine, au cours de sa promenade, aperçoit un enfant tout triste et l'air un peu malade. Il a faim, c'est certain. Sur l'étalage d'un marchand, il contemple des pommes...
– Tiens ! dit-elle en saisissant l'un des fruits. Et elle le lui donne.
– Hep là ! crie le marchand mécontent, ici, on paye avant !
Le bonhomme a l'air méchant et Jasmine n'a pas d'argent.

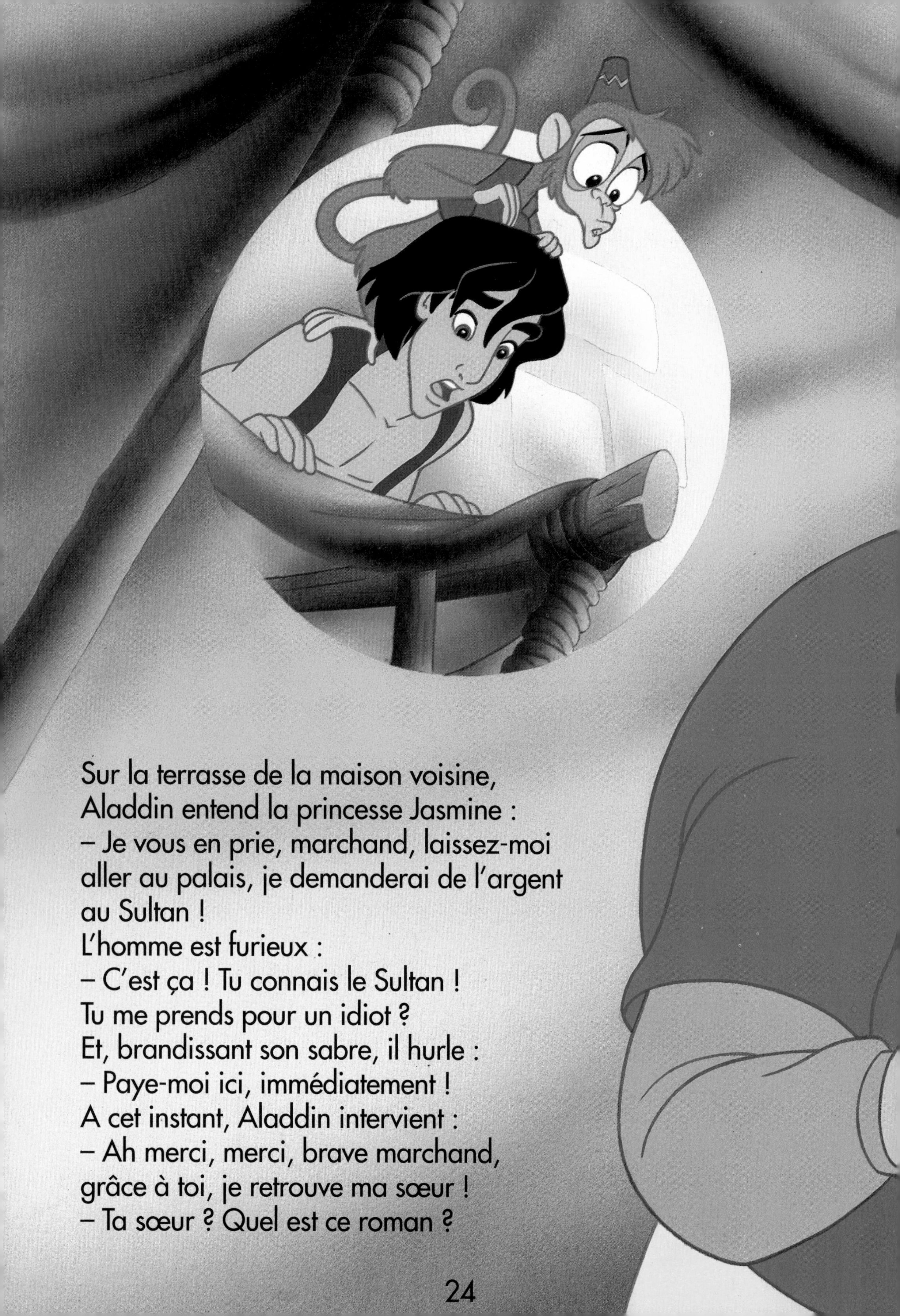

Sur la terrasse de la maison voisine,
Aladdin entend la princesse Jasmine :
– Je vous en prie, marchand, laissez-moi aller au palais, je demanderai de l'argent au Sultan !
L'homme est furieux :
– C'est ça ! Tu connais le Sultan !
Tu me prends pour un idiot ?
Et, brandissant son sabre, il hurle :
– Paye-moi ici, immédiatement !
A cet instant, Aladdin intervient :
– Ah merci, merci, brave marchand, grâce à toi, je retrouve ma sœur !
– Ta sœur ? Quel est ce roman ?

Aladdin prend un air de grand secret et explique :
– Oui, elle est un peu folle, un peu toquée, elle croit qu'elle habite le palais !
Profitant de la discussion, Abu ramasse discrètement des pommes. Lorsqu'il en a plein les bras, il prend la fuite. Aussitôt, Aladdin et Jasmine courent à sa suite.
Aladdin se retourne un instant et se moque du marchand :

– Salut, grosse pomme !
– Au voleur ! Au voleur ! hurle le bonhomme.
Mais trop tard, les trois complices sont déjà loin.

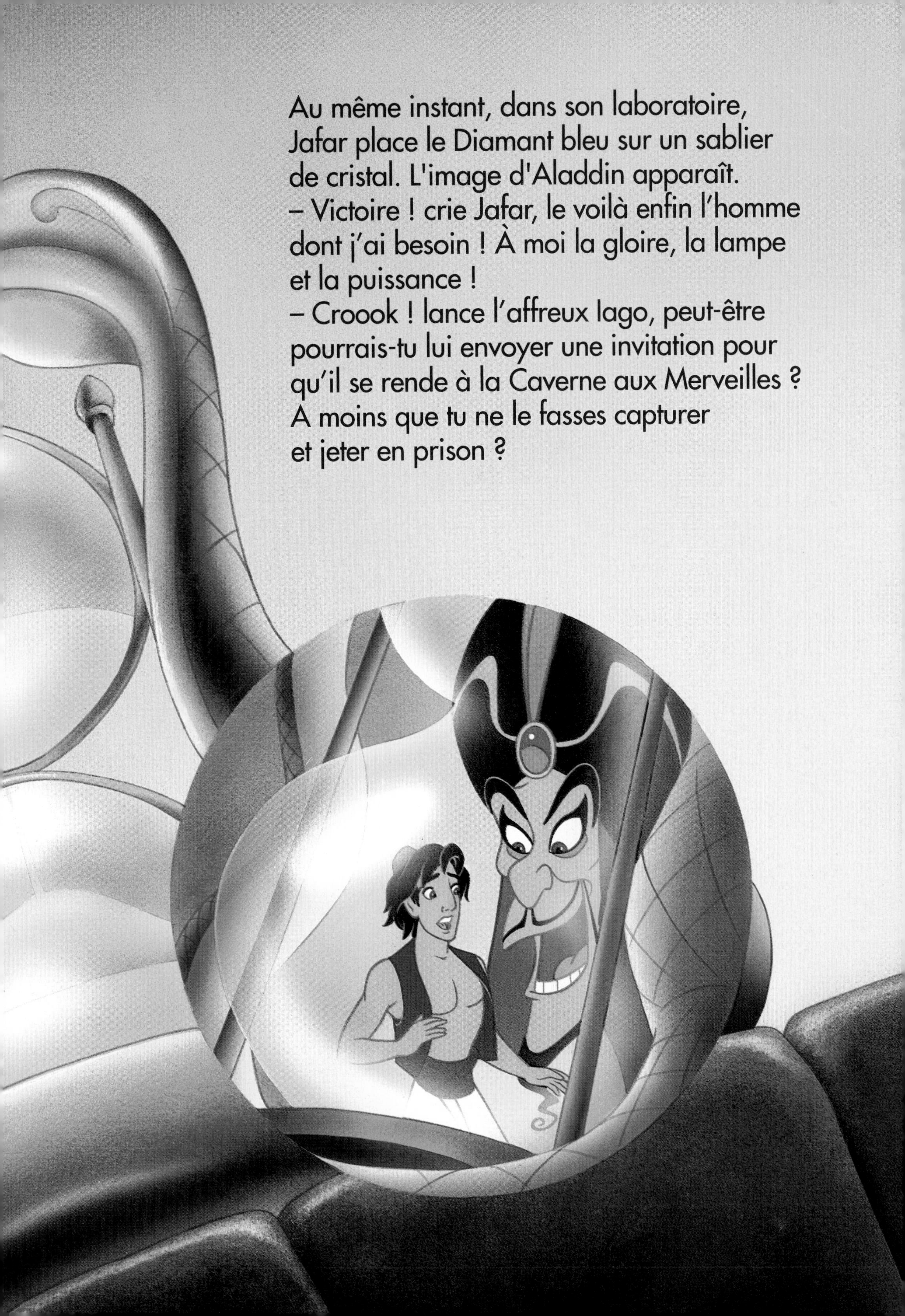

Au même instant, dans son laboratoire, Jafar place le Diamant bleu sur un sablier de cristal. L'image d'Aladdin apparaît.
– Victoire ! crie Jafar, le voilà enfin l'homme dont j'ai besoin ! À moi la gloire, la lampe et la puissance !
– Croook ! lance l'affreux Iago, peut-être pourrais-tu lui envoyer une invitation pour qu'il se rende à la Caverne aux Merveilles ? A moins que tu ne le fasses capturer et jeter en prison ?

Dans le repaire d'Aladdin, les deux jeunes gens font connaissance.
– Comment pourrais-je te remercier de m'avoir sauvée ? dit timidement Jasmine.
– Oh, ce n'est rien ! Les marchands et les gardes ne me font pas peur. Je cours vite, tu sais ! Pourtant, c'est vrai que parfois, j'aimerais mieux vivre comme un prince dans un palais !
À peine a-t-il parlé que des coups sont frappés à la porte.

Le chef des gardes entre à grand fracas :
– Ah ! te voilà, voleur, filou, galapiat ! Cela fait longtemps que je te cherche. Cette fois, ton compte est bon !
Il saisit Aladdin, mais Jasmine intervient. Le chef des gardes la reconnaît, cela ne change rien.

– Désolé, Princesse, c'est un ordre du grand vizir. Ce vaurien doit payer ses forfaits et il vous faut retourner au palais !

Aussitôt arrivée, Jasmine court se plaindre au grand vizir.
Jafar lève les yeux au ciel, frotte ses mains, soupire. Il prend l'air étonné et confus :
– Comment, Princesse, vous ne saviez pas qu'Aladdin est le pire forban qu'on ait jamais vu !

Jasmine, furieuse, lui demande :
– Ah oui, vraiment ? Un dangereux malfaiteur ? Un horrible forban ? Et quel crime a-t-il commis avec une telle mine ?
Jafar, l'œil coulissant, l'air mauvais, susurre :
– Oh… ! Le pire des crimes ! Votre enlèvement princesse Jasmine !
– Mais, je n'ai pas été enlevée, c'est moi qui me suis enfuie !
– Hélas, répond Jafar, qui le sait ?… De toute façon, il est trop tard. Aladdin est condamné : il aura la tête tranchée !… Mais n'ayez crainte, Princesse, ajoute-t-il d'une voix hypocrite, je me suis occupé de tout ! Cela se passera très vite !

Abu a rejoint Aladdin emprisonné dans un cachot sombre et glacé. Avec un crochet qu'il tire de sa poche, le petit singe délivre son maître. Soudain, de l'obscurité, surgit un vieillard :
– Je suis prisonnier, moi aussi, prétend-il.
En vérité, c'est Jafar qui s'est déguisé.
– Je viens te sauver, jeune homme, ajoute-t-il d'une voix chevrotante. Ou on te coupe la tête, ou tu m'obéis aveuglément. Et tu deviendras plus riche que le Sultan. Allez, suis-moi !
Aladdin ne se le fait pas dire deux fois.

Une fois dans le désert, le vieillard fait surgir la Caverne aux Merveilles.
– Qui trouble mon sommeil ? gronde aussitôt le Tigre.
– Va, avance et réponds ! dit Jafar en poussant le jeune homme.
– C'est moi, Aladdin !
– Entre, cœur pur ! Mais surtout ne touche à rien d'autre qu'à la lampe !
Aladdin pénètre dans la Caverne, sans que les dents du Tigre ne se referment.

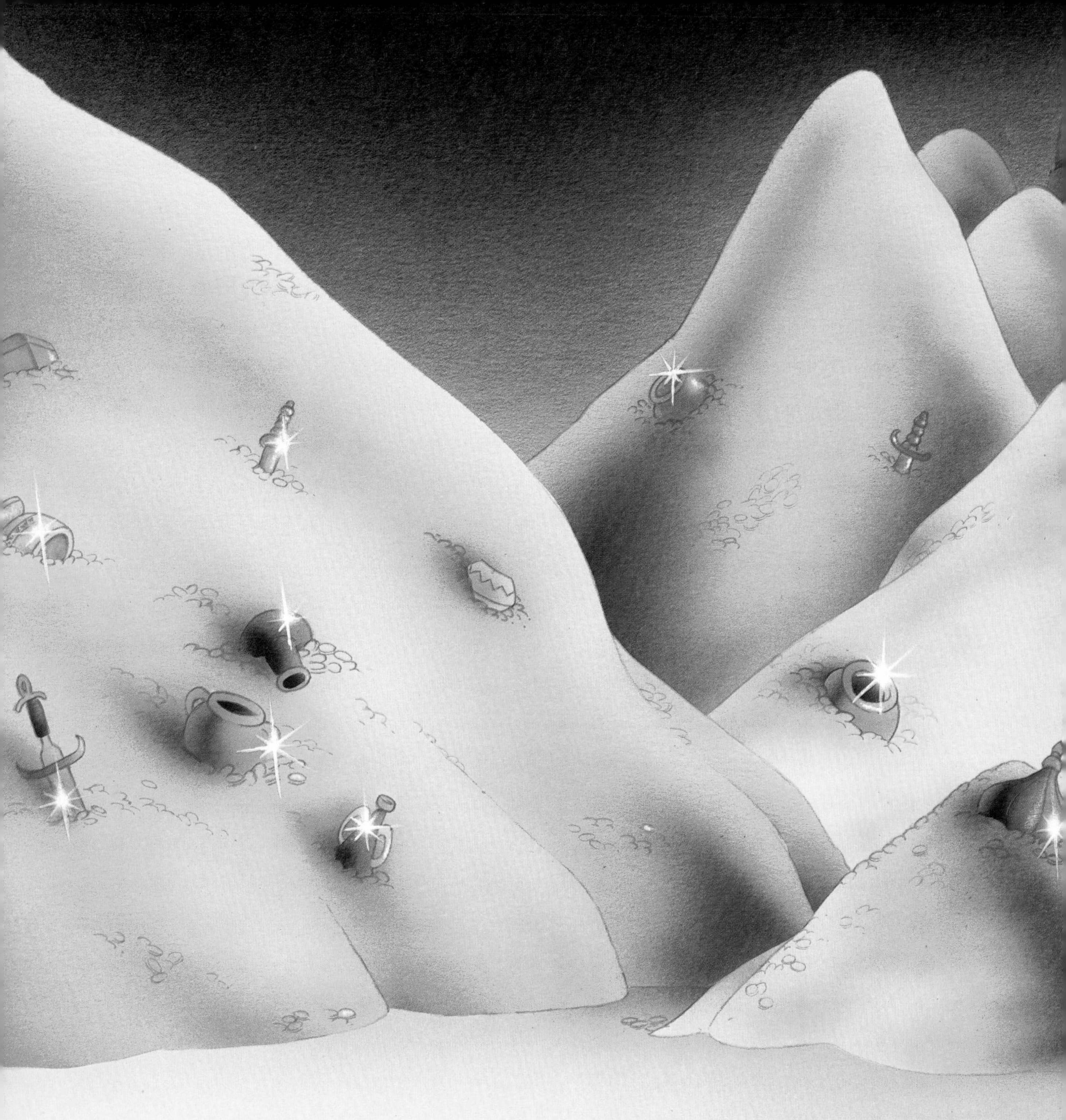

Aladdin n'en croit pas ses yeux ! Dans la Caverne, immense et profonde comme une ville souterraine, s'entassent des milliers d'objets précieux : des montagnes d'or et de bijoux, des armes, des statues et des jarres remplies de pierreries.
– Hé là, Abu, vilain singe ! Tu as entendu ce qu'a dit le Tigre. On regarde, mais on ne touche à rien, sauf à la lampe !
A cet instant, quelque chose bouge et vient voleter derrière Abu, en lui chatouillant le cou…

– Un tapis volant ! s'exclame Aladdin.
Regarde, Abu, comme il s'agite !
N'aie pas peur, ça ne mord pas,
c'est un objet magique !

Abu se réfugie, tout tremblant, dans les jambes de son maître, tandis que celui-ci engage un curieux dialogue :

– Dis moi, sublime carpette, nous cherchons une lampe qui…

Aussitôt, le tapis se tortille comme s'il comprenait.

– C'est incroyable ! Il nous montre le chemin !

Naviguant dans les airs, le tapis guide
Aladdin vers le sommet d'un rocher où trône
la lampe merveilleuse. Abu, de son côté,
s'arrête fasciné par un énorme rubis.
– Non ! Abu, ne touche à rien!
Arrivé au sommet, Aladdin s'empare de
la lampe, mais au même moment Abu
fait tomber le joyau.

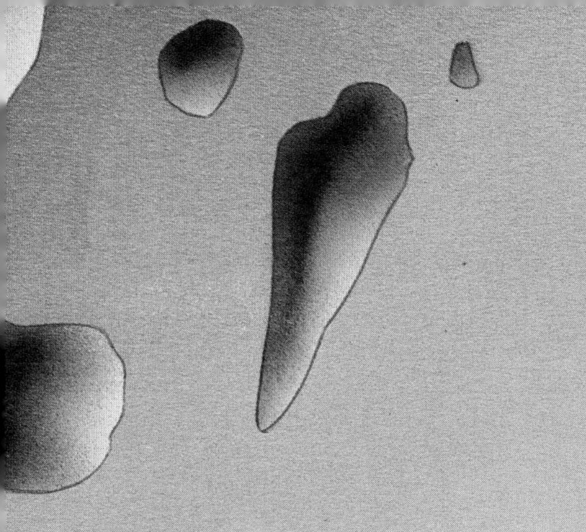

Malheur ! La voix du Tigre, à nouveau retentit :
– Infidèles, chiens maudits ! Vous avez touché au trésor interdit ! Vous ne sortirez jamais vivants d'ici !

Des blocs de rocher s'écrasent. L'air s'embrase au souffle de la lave rougeoyante surgie des profondeurs. Aladdin saute sur le tapis magique.
– Vite ! Abu, vite !
Le singe se cramponne à la veste de son maître tandis que le tapis file vers la lumière. En un éclair, les voilà à l'entrée de la gueule du Tigre. Les dents se referment lentement. Jafar est là, dehors, qui attend…

Aussi horrible qu'une figure de cauchemar, Jafar se penche au bord du gouffre. Il tend une main crochue…
– La lampe, donne-la-moi !
– Aide-moi à sortir ! supplie Aladdin.
– Non, la lampe d'abord ! Elle est à moi !
Jafar saisit l'objet. Puis il se redresse, triomphant :
– Enfin je l'ai ! A moi la richesse, la puissance et la gloire !…

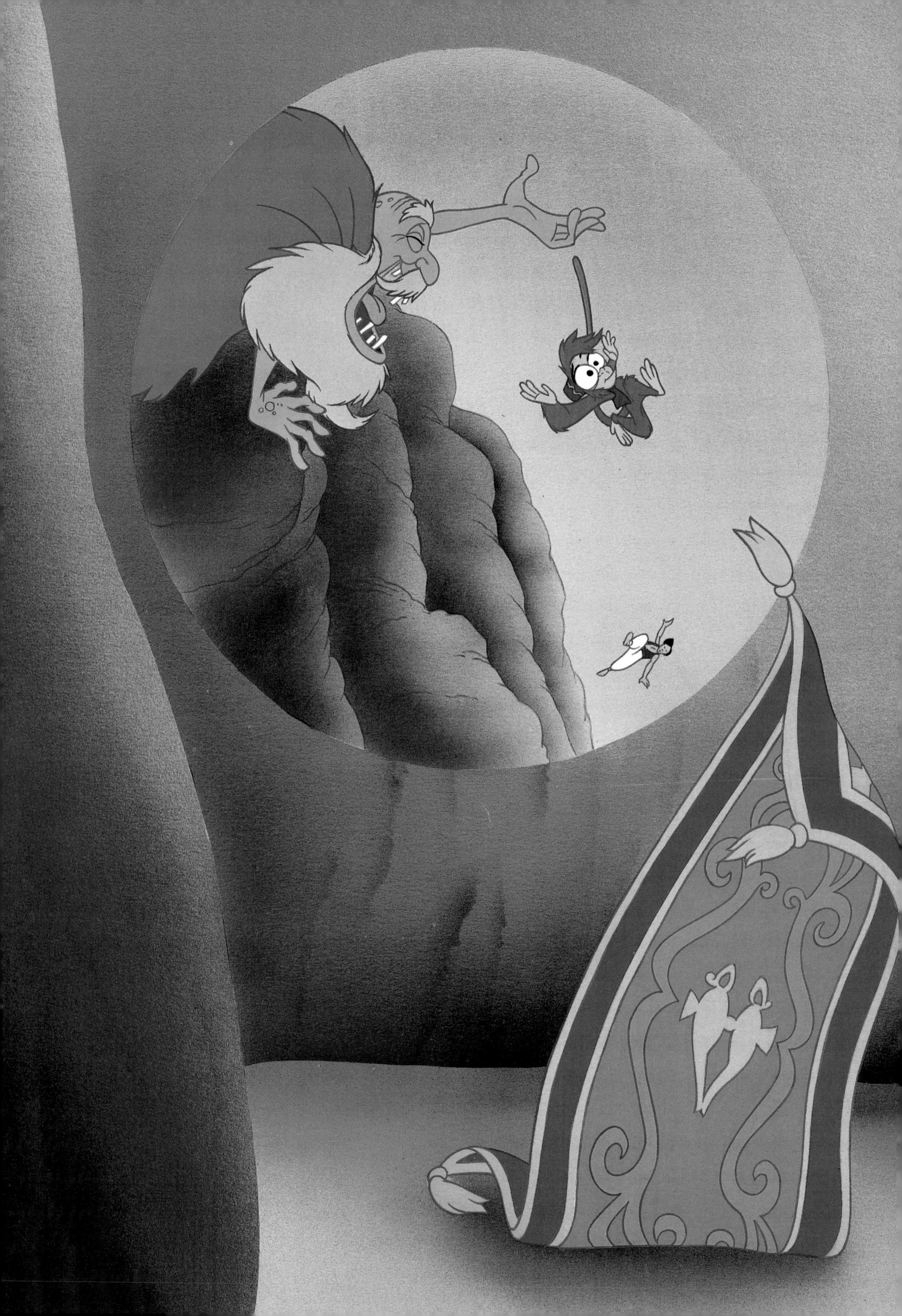

D'un geste cruel, Jafar rejette Aladdin dans le gouffre, mais Abu parvient à se hisser, exténué, à bout de souffle. Jafar l'aperçoit :
– Retourne d'où tu viens, toi aussi, sale singe, hurle-t-il en lui décochant un bon coup de pied.
La gueule du Tigre s'est refermée. Aladdin, prisonnier, crie sa rage :
– Ah, chacal à deux visages ! Tu nous a pris au piège ! Tu ne t'en tireras pas comme ça !

– Iiik ! iiik ! iiik ! Abu sautille en montrant la lampe. Pendant que Jafar repoussait Aladdin, il en a profité pour la lui dérober. C'est une drôle de chose, pleine de poussière, de la camelote à quatre sous avec une inscription dessus…
D'un coup de pouce, Aladdin frotte une fois, deux fois…
À la troisième, jaillit une forme gigantesque, joyeuse, amusante et grotesque.

– Ouaaaah ! s'écrie l'immense personnage, ça fait plaisir d'être à l'air libre ! J'étais à l'étroit là-dedans, j'avais l'impression d'être un hareng !
Et pour se dégourdir un peu, avec adresse, il change de forme à toute vitesse. Enfin il se présente :
– Je suis le Génie de la lampe ! Tu es désormais mon maître ! Au fait, comment t'appelles-tu ?... Aladdin ? Je t'appellerai Al ! Ou Din ! Ou Ali ! Hein ? C'est un beau surnom, ça ?

– Je rêve ? Ce n'est pas possible ! murmure Aladdin.
– Non, tu ne rêves pas ! Je suis un génie certifié, authentique, et comme tu m'es sympathique, j'exaucerai trois de tes vœux ! Je peux tout faire, sauf tuer quelqu'un, rendre une personne amoureuse, ou ressusciter un mort ! Alors… on commence ?

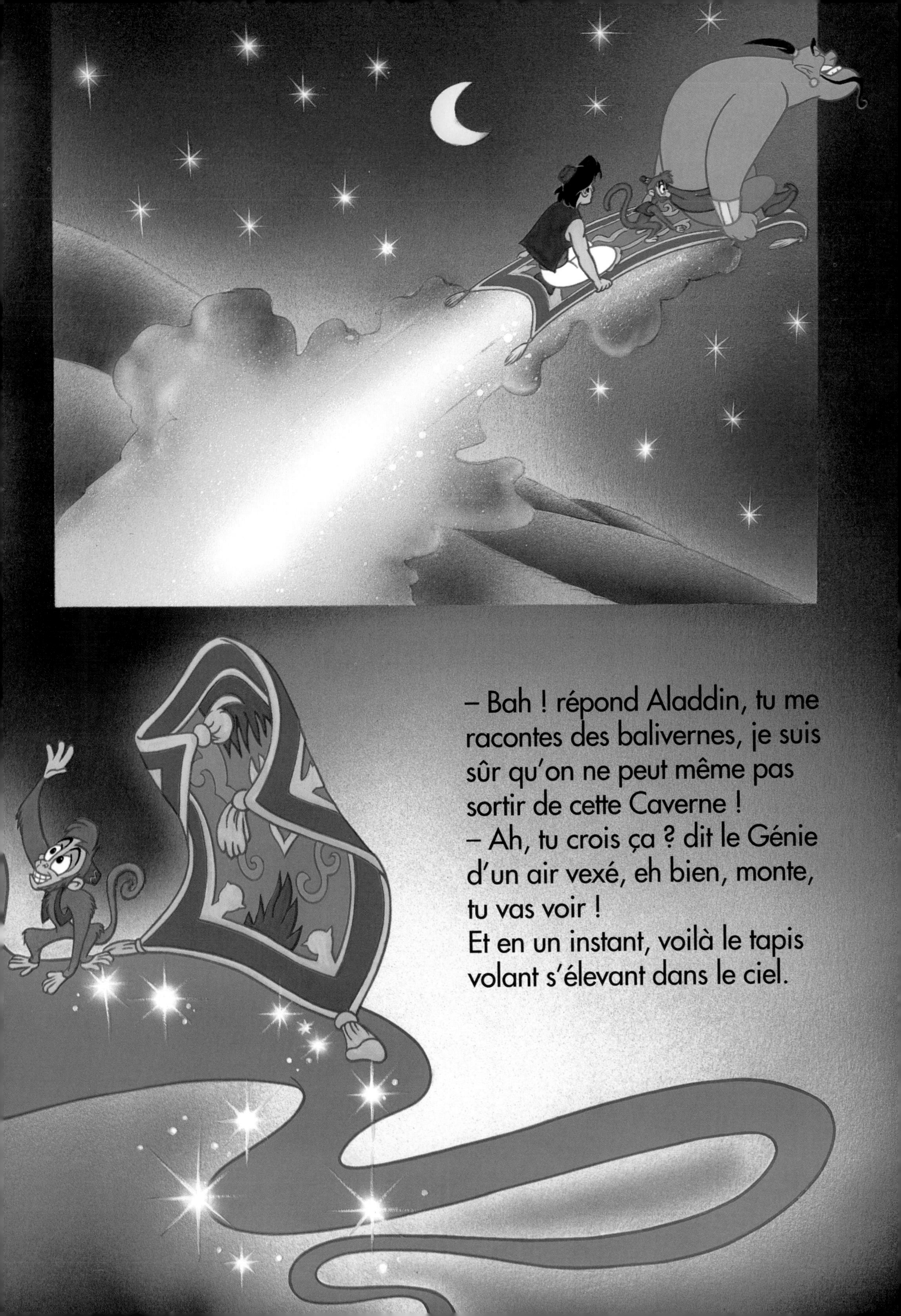

– Bah ! répond Aladdin, tu me racontes des balivernes, je suis sûr qu'on ne peut même pas sortir de cette Caverne !
– Ah, tu crois ça ? dit le Génie d'un air vexé, eh bien, monte, tu vas voir !
Et en un instant, voilà le tapis volant s'élevant dans le ciel.

Pendant ce temps, au palais, le Sultan, tout heureux d'avoir récupéré sa fille, la supplie de se marier sans attendre.
– Mon petit cœur, mon bébé tendre, je t'en prie…
Le grand vizir, lui aussi, la presse :
– La loi est formelle, Princesse !
En vérité, Jafar a une idée derrière la tête… épouser Jasmine et devenir sultan !

Dans les nuages, sur le tapis volant, le Génie laisse éclater sa joie.
– Merci, chers voyageurs, d'avoir choisi Air-Carpette !
Veuillez ne pas fumer, et attachez vos ceintures ! On atterrit, c'est chouette !
Puis, se retournant vers Aladdin :
– Eh bien, qu'en penses-tu, monsieur l'incrédule ? À présent, ce premier souhait, tu le formules ?
Aladdin raconte qu'il est amoureux de Jasmine et voudrait bien être digne d'elle.

– Rien de plus facile, mon Maître, s'exclame le Génie. Et d'un geste, il transforme Aladdin en prince charmant.

L'après-midi, dans le palais, le Sultan joue comme un enfant, oubliant ses tourments. Mais Jafar, sortant de sa bibliothèque un vieux parchemin tout poussiéreux, lui dit qu'il a trouvé la solution :

– Une princesse peut épouser un grand vizir !

– Impossible ! Je n'y crois pas ! proteste le Sultan.
Tendant sa canne en forme de serpent, Jafar insiste :
– Sssi ! Sssi ! Sssi !
– Oui, c'est, c'est vrai ! répond le souverain, hypnotisé.

– Place ! Place ! Laissez passer le prince Ali Ababwa, qui nous vient tout droit de son pays !
Ali, on le voit bien, n'est autre qu'Aladdin !
– Voici le Prince ! Que chacun vienne l'admirer, lui et sa suite !
Le Génie, vêtu en grand chambellan, annonce l'arrivée du nouveau prétendant.

Le Sultan est charmé : ce prince Ali est riche et beau, il a très belle mine… Mais que va dire de lui la princesse Jasmine ?
– Hélas ! soupire le Sultan, tu n'es pas le premier soupirant, elle en a refusé bien d'autres !
– Laissez-moi lui parler, répond Aladdin, je saurai faire sa conquête !
Lorsque la jeune fille entre dans la pièce, sans même regarder le jeune homme, elle s'adresse rudement à son père :

– La honte soit sur vous qui décidez de mon avenir sans moi. Je ne suis pas un prix que l'on gagne. Je ne veux pour mari que celui que j'aurai choisi !
– Écoute, Jasmine, proteste le brave Sultan.
Rien à faire ! Le souverain soupire :
– Quel mauvais caractère !
Tapi dans l'ombre, Jafar grogne entre ses dents :
– La peste soit de ce maudit prétendant !

La nuit venue, le prince Ali rend visite à la Princesse.
Jasmine ne veut pas de ce soupirant. Pourtant, son visage est charmant. Et, quand il lui tend la main pour monter sur le tapis volant, elle pense à Aladdin, le garçon du marché...
Et c'est ainsi qu'après un beau voyage dans les nuages, Jasmine tout heureuse, est tombée amoureuse.

Jafar a tout vu. Fou de rage et de jalousie, dès que le prince Ali revient sur terre, il le fait capturer et jeter à la mer.
Tandis qu'Aladdin coule à pic, la lampe merveilleuse s'échappe de son turban. Dans l'eau, le malheureux s'agite et parvient à frôler l'objet magique. Aussitôt, le Génie apparaît.
– Tu veux rester en vie, n'est-ce pas ? Tu le souhaites ?
Aladdin, à demi noyé, ne répond pas. Le Génie, de la main, lui fait hocher la tête.
– Oui ? C'est bien ! Je te sauve !

Le lendemain, Jasmine, enchantée, annonce à son père qu'elle consent à se marier avec le prince Ali.
– Hélas ! dit le grand vizir d'un air fourbe, le prince Ali nous a quittés. Il est parti pour toujours. Nul ne sait où il s'en est allé !

Mais une voix, subitement, résonne :
– Tu ferais mieux de consulter ton sablier de cristal, Jafar ! Raconte plutôt comment tu as essayé de me supprimer !
C'est Aladdin, bien vivant, sain et sauf.
Jafar brandit sa canne à tête de serpent :
– Ssssire, c'est impossssible ! Ne le croyez pas, Ssssublime Sssseigneur, cet homme est un menteur et un imposteur !
Hypnotisé, le souverain ne réagit plus.
Jasmine le prend par les épaules et le secoue :
– Mais enfin, père, qu'avez-vous ?

– Je vais vous dire ce qui se passe ! s'exclame Aladdin.
D'un geste brusque, il prend la canne-serpent et la brise…
Aussitôt, le Sultan se réveille.
– Sire, il vous tenait en son pouvoir !
À cet instant, voyant la lampe glissée dans le turban du prince Ali, Jafar reconnaît Aladdin. Et le voilà qui s'enfuit en jurant de se venger de ce gredin.

– Iago, mon fidèle perroquet, écoute-moi bien ! Tu vas filer sans tarder vers les jardins du palais. Là, quand tu verras Aladdin seul dans ses appartements, tu l'éloigneras en imitant la voix de Jasmine...
– Croooc ! C'est vrai, dit l'insolent Iago, que j'ai une voix splendide ! Combien me payes-tu pour ce service ?
– Une tonne de gâteaux secs ! Dès qu'Aladdin sera sorti, tu voleras la lampe ! Va et ne me déçois pas !
Sitôt dit, sitôt fait, le perroquet s'envole. Bientôt il revient avec son butin !

Jafar savoure son triomphe : enfin la lampe est à lui ! Un coup de pouce et voici qu'apparaît le Génie.

– Oh ? dit-il, mon Maître ? Comme tu as changé ! Ta barbe a poussé ! Je ne t'ai pas déjà vu quelque part ? Peut-être au marché ou dans un bar ?

– Assez plaisanté ! réplique Jafar. Voici plutôt mon premier souhait : je veux être un sultan tout-puissant et dominer la ville!

Obéissant aux ordres du grand vizir, le Génie transporte le royal palais au sommet d'une colline.
– Parfait ! hurle Jafar. A présent, mon deuxième souhait est de devenir le sorcier le plus puissant de la terre !
– Qu'il en soit ainsi, ô mon Maître, dit le Génie.
Aussitôt exaucé, le grand vizir, d'un geste magique, envoie Aladdin et Abu dans un pays glacé... Heureusement, le tapis volant est là. Il va ramener les trois amis à Agrabah.

Jafar, bien installé, se fait masser le bout des pieds.
– Ah ! au fait, dit-il au Génie, pour mon troisième souhait, j'exige que Jasmine tombe désespérément amoureuse de moi !
– Maître ! répond le Génie, ce n'est pas en mon pouvoir !
Jafar se met dans une colère noire. Mais, à cet instant, discrètement, par la fenêtre, Aladdin est entré dans le palais.

Jafar aperçoit Aladdin et brandit une nouvelle canne magique :
– Approche donc, pouilleux, vermine !
Un éclair jaillit de la tête de serpent. Aladdin l'évite de justesse. Furieux, Jafar se tourne alors vers Abu et, après un nouvel éclair, le transforme en jouet mécanique ! D'un geste, il enferme la Princesse dans le sablier de cristal. Puis, savourant sa puissance, pour compléter sa vengeance il se prépare à devenir le monstre le plus terrifiant qu'on ait jamais vu !

Jafar se change en un serpent gigantesque. Les dents acérées, la langue chargée de venin, il s'avance vers Aladdin.
– Je n'ai pas peur de toi, ignoble cobra ! Tu es moins fort que le Génie de la lampe !
– Très jusssste, vaurien ! Aussssi, comme dernier souhait, je veux devenir le plus grand Génie du mal !

Sitôt dit, sitôt fait, la peau de serpent craque, une créature colossale en jaillit… Aladdin tient la lampe à bout de bras…
– Tu es un génie, n'est-ce pas ? Alors, voici un logis pour toi et ton perroquet !

La lampe aspire irrésistiblement le géant. En une fraction de seconde, Jafar est prisonnier. Il a beau hurler, s'agiter, protester, la lampe ne s'ouvrira plus. Aladdin, encore étonné, la tient dans sa main, tandis que le Génie, émerveillé, applaudit avec entrain.

– Sais-tu que tu es…un "génie" ! s'exclame-t-il. Tu m'as débarrassé de ce tyran. Que puis-je faire pour te remercier?

– Remettre à leur place le Sultan et son palais !

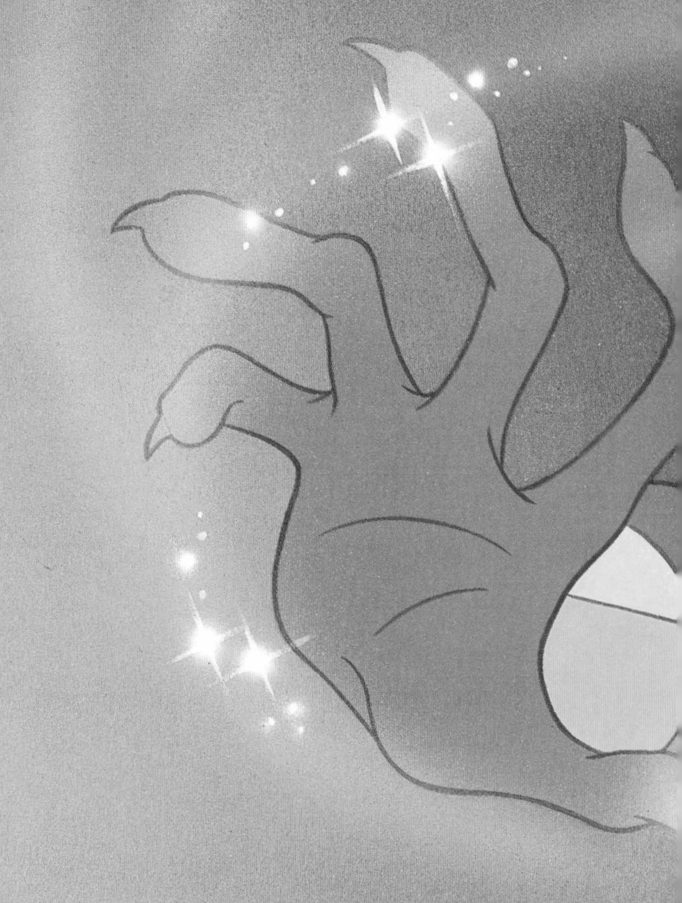

Voilà le palais revenu au milieu d'Agrabah. Sous les yeux de Jasmine, le Sultan a repris sa belle allure ! Jafar l'avait changé en marionnette, et avait fait de Rajah un minuscule chaton que l'on prend dans ses bras.

– Par mon turban doré et mes plumes d'autruche !
Descends de là, Rajah, tu m'écrases !
Hop ! Rajah se retrouve par terre.
Rrrroar ! Ça fait plaisir de reprendre sa peau de tigre.

Aladdin a retrouvé la princesse Jasmine mais il est désespéré.
– Je ne serai jamais prince car j'ai gardé mon dernier vœu pour le Génie : je lui ai promis la liberté.

Aussitôt, les bracelets qui enserraient les bras du Génie se brisent.
– Libre ! Je suis libre ! hurle-t-il en saisissant la lampe où s'agitent Jafar et son complice. De toutes ses forces, il la lance dans le désert.
– Dix mille ans dans la Caverne aux Merveilles, bonne nuit les petits ! conclut-il ravi.

– Eurêka ! Mes enfants, j'ai trouvé ! s'exclame le Sultan. Je vais changer la loi ! Aladdin, je te déclare digne d'épouser ma fille !
Aussitôt, dans les rues d'Agrabah, le peuple se prépare à la fête, tandis que le Génie s'apprête à partir en voyage. Seul Rajah, un peu jaloux, fait une drôle de tête.
– Longue vie aux fiancés !
– Eh oui, se réjouit le Sultan, tout est bien qui finit bien ! Pour mon bonheur, maintenant, il ne me manque plus que des petits-enfants !

Le Génie s'est envolé dans le ciel. Jasmine et Aladdin le suivent quelques instants sur leur tapis volant.
– Adieu, Génie, reviens quand tu voudras à Agrabah !
– Adieu, les tourtereaux ! Salut, la carpette ! Dites au revoir pour moi à votre singe ! Adieu, mes amis, je vous souhaite longue vie !

Imprimé en Italie - G.E.P. - Cremona
Dépôt légal Septembre 1995 - n°9856
46.08.0919.05/4 - ISBN 2.23.000273.2
Loi n°49.956 du 16 juillet 1949
sur les publications destinées à la jeunesse.